AISLING DHÁ ABHAINN

An Chéad Chló 1977

KARL UHLEMANN

a dhear an clúdach

AISLING
DHÁ
ABHAINN

CRÍOSTÓIR Ó FLOINN

FOILSEACHÁIN NÁISIÚNTA TEORANTA,
29 Sráid Uí Chonaill Íochtair,
Baile Átha Cliath 1.

Leis an údar céanna

Úrscéalta:
Lá dá bhfaca thú.
Learairí Lios an Phúca.

Gearrscéalta:
Oineachlann.
Sanctuary Island.

Drámaí:
Cóta Bán Chríost.
Aggiornamento.
Is é dúirt Polonius.
Cad d'imigh ar Fheidhlime ?
Mise Raifteirí an File.
Homo Sapiens.
In Dublin's Fair City
The Order of Melchizedek.
The Land of the Living.

Filíocht:
Éirí Amach na Cásca.
Mrs. Zebedee.
Ó Fhás go hAois.
Drunken Thady (eag.).

Aistí:
Cead Cainte.

CLÁR

CLÁR (ar lean)

Is do Sheosaimhín Ní Mhuirí in Áth Luain a thíolaicim an chnuasacht dánta seo, as méid mo mheasa ar a bhfuil déanta aici ar son na Gaeilge. Ní bheadh lucht éisteachta ag an bhfíle Gaelach inniu ach go bhfuil daoine mar an cailín uasal ard-aigeantach seo ag obair go dian dílis, bliain i ndiaidh bliana, gan bhuíochas, gan phoiblíocht, le lóchrann na saíochta dúchais a choinneáil ar lasadh in aghaidh ghála an Ghalldachais atá ag séideadh orainn trí na meáin chumarsáide agus trí chórais riaracháin an Stáit agus na hEaglaise.

Réamhrá

Seo an chéad leabhar filíochta de mo chuidse a foilsíodh ón mbliain 1969 nuair a tharraing *Ó Fhás go hAois* achrann idir mé féin agus an Roinn Oideachais mar gheall ar an chinsireacht pholaitiúil i mbréigriocht an chúraim don mhoráltacht phoiblí. D'inis mé scéal an achrainn sin in aguisín an leabhair chéanna, agus conas mar a chuir Seanchán Torphéist faoi gheasaibh éigse mé gan litríocht a chumadh i nGaeilge go dtí go dtarraingeodh an tAire Oideachais siar a raibh canta sa Dáil aige (23 Iúil 1969) mar chosaint ar bhligeairdíocht bharbartha ghiolla gan ainm de chuid na Roinne.

Táim faoi chomaoin ag na daoine ionraice a chuir a dtacaíocht leis an agóid a rinne mé an tráth sin ar son na fírinne agus na litríochta, agus níorbh iadsan, mo léan, filí ná literati na hÉireann, ná na díolaimeoirí acadúla, ach léitheoirí tuisceanacha thall is abhus nach raibh aithne agam féin ar a bhfurmhór.

Bhí sé de mhisneach ag an Aire Oideachais úd, Pádraic Ó Fachtna, T.D., an scéal a chur ina cheart sa Dáil ar ball (2 Márta, 1972), agus bhíodh Máirtín Ó Cadhain, beannacht Dé leis, a ndearna an Roinn múchadh ar scéalaíocht dá chuid le linn mo dhántasa a chur faoi chois, bhíodh seisean á dhearbhú dom go minic nárbh é an tAire féin ach giolla le hainm de chuid na Roinne a bhí i mbun bhánú na litríochta. Is dócha gurbh fhíor dó leis.

Cé gur réitigh aithrí mhall úd an Aire an bealach domsa le mo bharántas a fháil ar ais ó thaibhse Sheancháin, is cosúil nach bhfuil glacadh liom fós mar fhile ag giollaí léannta na Roinne Oideachais ná ag a gcomhairleoirí liteartha in áiteanna eile, agus féachtar chuige nach ligfear aon chuid de mo shaothar filíochta ar chúrsaí scoile ar aon leibhéal ná i láthair an phobail féin dá mb'fhéidir é.

Táim faoi chomaoin go mór, dá bhrí sin, ag foilsitheoirí an leabhair seo agus ag aon duine den phobal Gaelach a cheannóidh é, in ainneoin gan *imprimatur* Stiúrthóirí an Chlub Leabhar a bheith á mholadh mar ábhar oiriúnach ná é bheith ceaptha ina théacs scrúdúcháin do mhic léinn na tíre, ceapadh a bhíonn thar a bheith tairbheach do na húdair a mbíonn an t-ádh sin ina gcaipín nó ina gcleití nó ina n-aitheantas ciarógach.

Táim an-bhuíoch freisin de na heagarthóirí a chuir dánta áirithe de chuid an leabhair seo i láthair an phobail an chéad uair, mar atá, Seosamh Ó Duibhginn (Scéala Éireann), Pádraic Dolan agus Donncha Ó Dúlaing (RTÉ), Mainchín Seoighe (Glór na Máighe), Dónall Ó Lubhlaí (Leas), Anraí Mac Giolla Chomhaill (An tUltach), Hayden Murphy (Broadsheet).

Bronnadh duais an Oireachtais do chnuasach dánta ar ábhar de chuid an leabhair seo, faoin teideal *Athair Clainne*. Dála gach údair eile a scríobhann i dteanga na nGael, is trom atáimse i bhfiacha éigse ag Coiste an Oireachtais as a bhfuil de ghríosadh chun saothair agus d'aitheantas ealaíne faighte agam tríd na comórtais liteartha. Go háirithe, is mór an chreidiúint atá ag dul do Dhonnchadh

10

Ó Súilleabháin, Rúnaí an Oireachtais, as a bhfuil de dhua curtha aige air féin le blianta fada anuas a chothú na litríocha, na drámaíochta agus an cheoil; ach, an sean-nós Gaelach, is baolach nach creidiúint ná puinn buíochais a bhíonn le fáil ag daoine dá shórt go minic.

Críostóir Ó Floinn
47 Páirc Arnold
i gCill Iníon Léinín
lámh le Dún Laoghaire.
Lá Fhéile Bríde 1977.

AISLING DHÁ ABHAINN

Lá i gceartlár Bhealtaine
Cois Sionna luíos go sámh,
Taibhríodh dom manaigh, ríthe
Ag déanamh aithrí, Flann, Ciarán:

Néalta ainglí ag seoladh
Ar chumhracht móinéar dá mbaint
I gConnachta thall. Túr, crois,
Odharsheithe dá leasú chun meamraim.

I gceartlár tíre b'sheo tobar
An uisce bheo. Ghoin braon borb
Báistí mé; shuíos aniar — b'shiúd
Long bhagrach ó Chríoch Lochlann.

Níorbh shin deireadh m'aislinge —
Dán indíreach — d'fhilleas slán
Istoíche ar Dhubhlinn Life,
Telethúr Dhomhnach Broc, ollPháil.

BANANA

Maith do theacht, a thoraidh óir;
Ó Ecuador, tír ghréine,
Ar chlár portach agus práta
Ní fhásfadh do léithéidse.

Dá dtabharfaí ó Thír-fó-thoinn
Don rí ba shólaist i dTeamhair,
Dúinne is éasca ná don Fhiann
An saol ó rianaigh chun feabhais.

Gan roth gan chabhair inneall
A dteampaill thóg treibh Inca,
Tusa chun lóin cois Life
Rachadh rite le tuiscint.

Sula scúim do chraiceann geal
Guím rath ar an bhfear do bhain,
Lorg a mhéar ar do choirt ghlan
Samhlaím ina nasc eadrainn.

Indiach mallrosc ciardhubh dealbh
I dtír ba shealbh dá shinsir
Roimh theacht do lucht adhartha an óir
Conquistador ná Inca.

Don stór nuair a chuas im charr
Ag soláthar ar shladmhargaíocht
Níor bhraitheas mo bhráthair féin
I dtír i gcéin ag sclábhaíocht.

14

A bhanana bhuí mhealltaigh,
Domsa do mheabhraís ár locht,
Mo ghoile ó d'fhágais leamh
Do theacht liom anois is olc.

AN CHARRAIG

SHNÁMHAS amach go dtí an charraig, leathchéad slat
   ón trá,
Tar éis do na páistí mo dhúshlán a thabhairt nach ndéan-
   fainn.
Bhíos im fhathach acu, curadh an domhain, nuair a bheann-
   aíos chucu ar ais,
Ba ghaisce liomsa iadsan, agus an mháthair a rug iad,
   bheith ansiúd.

Compordach go leor mar sheas é, an charraig mhara
   aonair seo,
Na bairnigh faoim thóin mínithe ag súsa síodúil na feam-
   ainne.
Breathnaím tharam: spéir gan scamall, an fharraige ina
   plána,
An bhroigheall amplach féin cloíte ag an mbrothall.

Tugaim droim le tír, le trá, le clann. Dá shnámhfainn
Sa treo eile seo siar, faoi dhéin bun na spéire nach bhfuil
   ann ?
Buille ar bhuille go réidh, chomh fada le mo chumas, agus
   ansin
Géilleadh go suanmhar, filleadh i mbroinn mhacnasach na
   mara móire.

Cé a déarfadh nárbh fhuascailt é, slán ag carraig an
   chúraim,
Slán ag an sclábhaíocht, ag leimhe, ag cora crua an
   tsaoil ?
Ach an dtéann díleá ar an spiorad, nó an mbeinn
Go síoraí ag breathnú siar ar bhean is ar pháistí tréigthe ?

16

Ní le bheith im ghoblach ag broigheallaibh a cumadh
   mise,
Ní lena dtréigean a thugas-sa leanaí ar thrá an tsaoil,
An cailín sin a thug grá dom is dar gheallas a bheith dílis
Shnámhfainn in aghaidh an easa lena leas a dhéanamh.

Tugaim aghaidh ar ais ar thír is ar chine, geiteann
An bhroigheall romham, téann i mbun a ghnó athuair.
Buille ar bhuille go réidh tagaim slán ó mhealladh na
   muruach;
Ní gaisce leo mo theacht: tá an mháthair ag roinnt a
   gcoda ar na gearrcaigh.

COLDITZ

IS olc an ghaoth nach séideann
Do dhuine éigin. Tugann
Cogadh is céasadh glúine
Ábhar siamsa don chéad ghlúin eile.
Seo anois againn sraithchlár telefíse
A cheannaigh Radio Telefís Éireann
Ón British Broadcasting Corporation
Ina n-aithristear eachtraí éaluithe
Na Sasanach calma a bhí i gcoimeád
I gcaisealcharcar Gearmánach
Le linn an Dara Cogadh Domhanda.

Léirigh eachtra chorraitheach
Na hoíche anocht conas mar a
Mharaigh amhais Hitler
Sasanach óg a bhí
Ag cóimhlíonadh a dhualgais
De réir oineach na gcimí
Dar dual éalú.

Is deimhin go mbainfidh
An ghlúin a thiocfaidh inár ndiaidh
Oiread céanna taitnimh
As an siamsa a bhunófar ar an eachtra
A tharla aréir nuair a
Mharaigh amhais Shasana
Éireannach óg a bhí
Ag iarraidh éalú
As campa géibhinn na Ceise Fada
I dTuaisceart Éireann.

18

PENSÉES D'APRÈS PASCAL

BHEITH i do ghiolcach na cruinne
Ní maíte duit
Ach go dtig leat a mheas
Go bhfuilir meabhrach.

Mar sin is dá bhrí sin
Gur tusa amháin
A bhraitheann uamhan
Faoi shíorthost an spáis.

Hors-d'oeuvres le do chraos-stuaim
Les bons mots, les mots justes
A ghiorraíonn an bealach
Idir Port Royal agus Mururoa.

Nótaí: Is iad na *pensées* de chuid Pascal a bhfuil an dán bunaithe
orthu ná:

1. "L'homme n'est qu'un roseau, le plus faible de la nature,
mais c'est un roseau pensant."

2. "Le silence éternel de ces espaces infinis m'effraie."

Port-Royal an lárionad a bhí ag na daoine cráifeacha agus na
fealsaimh a tháinig faoi thionchar an teagaisc sin ar a dtugtar
Jansenism. Bhí scoil thurgnamhach agus clochar san áit.

Mururoa: an t-oileán san Aigéan Ciúin mar a bhfuil triaileacha
eithneacha ar bun ag na Francaigh.

19

SONAS

BÉILE mór an Nollag ar an mbord
   Agus díolta as,
An chlann ina réaltaí le sláinte,
Tar éis Aifreann meánoíche na Gine
Ár n-anam sách le grásta,
Féiríní iontais aimsithe
Idir an beithilín lom
Agus an crann geal bréige,
Sonas nach bhfuil a shárú
Ar domhan, go mbeirimid
Beo ar an am seo arís . . .

Ó shléibhte imchiana cloisim
Macalla crúba capall,
Marcshlua Héaród.

DO SCRÍBHNEOIR NEAMHAITHEANTA

NÍ tógtha ort
Díomua tar éis diúltaithe eile fós:
Conas do ghabhar
A thabhairt isteach ar imeall féin an aonaigh,
Sin í an fhadhb.

Má fheictear duit
Gur seoid ealaíne atá cumtha agat i gan fhios
Do na saoithe,
Coinnigh do mhisneach, óir is seoid fós í
Gan spleáchas dóibhsean.

Is beag sólás,
Fiú do dhuine a bhfuil mian seo na cruthaíochta
Dá shíorghríosadh
Go dtugann do chur ó dhoras arís is arís eile
Ábhar dáin domsa.

LAUDABILITER

("Bíonn dhá insint ar gach scéal")

Éireannach mé:
Cén t-ionadh, mar sin,
fonn a theacht orm
an Eaglais Chaitliceach
a thréigean
arna léamh dom
sa tuairisc a d'fhág
scríobhaí na Normannach,
Giraldus Cambrensis,
ar theacht na Normannach
anall ó Shasana
a ghabháil forlámhas
    Éireann,
gurbh é
Pápa na Róimhe féin
a bhronn ár dtírín dúchais
ina fhearann craolta creid-
    imh
agus sibhialtachta
mar dhea
ar an dara hAnraí
ba rí ar Shasana ?

Éireannach mé:
Cén t-ionadh, mar sin,
go socraím síos arís
níos réidhe ná riamh
san Eaglais Chaitliceach
arna thuiscint dom
nach bhfuil fáil
ar bhunús bhulla Anraí
i gcartlann na Róimhe,
agus thairis sin,
mar a bheadh uachtar
ar mo chaifé Gaelach,
go raibh an Pápa úd,
an ceathrú hAdrian
a bhí sa Róimh,
arbh é a bheannacht
    aspalda
a rinne crosáid den chon-
    cas,
go raibh an fear sin féin,
Nicholas Breakspeare,
ina Shasanach ?

22

EAGAR

GÉARFHEADAÍL gaoithe
    cén chaoi a stadann?
Nó conas a bhogann
    tonnta na mara?

Tá míniú ag na saoithe
    nach míniú go leor:
An fear atá beag
    is dearbh nach mór.

An londubh atá dubh
    is follas nach bán,
An chuileog ina chuil
    is ris nach damhán.

Seo gréas daingean déanta
    go tréan ar dhán,
Scaoilteacht é i bhfianaise
    fhíoraíocht bláth.

FEITHEAMH

BA ghnáth leis an bhfile dealbh Patrick Kavanagh
Suí anseo ar bhruach na canálach; d'iarr sé
Dá mbeifí le cuimhneamh air go dil in aon bhall
Gurb é an port neamhchiontach seo a rogha féin.

Rinne súmairí na saíochta i mBaile Átha Cliath
Maith dá achainí fhileata tar éis a bháis,
Deasaíodh an suíochán seo ina leacht, léigh siad
Dánta dá chuid, bhí a bpictiúr uile sna nuachtáin.

Suímse anseo tráthnóna agus dearcaim go dubhach
Ar dhuilliúr feoite an Fhómhair ar an uisce liath.
Ní an éigse ná na súmairí iarbháis atá dom bhuaireamh
Ach mo bhean a bheith i ndáil chomhairle anseo thiar.

I ngiorracht osna dom tá tithe arda Chearnóg Mhic Liam;
Árais na ndochtúirí; ansiúd a dhéantar fáistine
An bháis. Clann óg sa bhaile ag feitheamh linn,
Mise ag feitheamh le scéala i súile mo ghrá dhil.

ÓRÓ SÉ BHUR mBEATHA ABHAILE

CLOG an tábhairne faoi thionchar an atmasféir
Ag sileadh uaireanta cúrleáite, fear léinn
In uachtarlámh ar chéile comhraic nach bhfuil ann,
Súile scólta, pócaí folamha, bean ag siúl le cabhair
Ridire a bhfuil curadhmhír i mála aige á iompar,
Fáltas oíche á mhúnscaoileadh i bpóirsí cúnga.

CÚIRT AN MHEÁN LAE

I gCÚIRT mheán oíche i bhfís na rann
  Go subhach lánbhrí le líofacht trom
Chuir saoi na Fiacaile, Brian na Meidhre,
Aoibheall ón Liathchraig ina lia ealaíonta
Ag tomhas na ngalar thug lagar ar chine
Ba ghlórmhar gasta tráth mhaireadh ár sinsir
I gcarthanas Chríost gan fíoch gan foghail
Gan reacht aindlí ná cíos don Ghall.

Dá bhfillfeadh tar éis dhá céad de bhlianta
Go bhfeicfeadh cén saol atá i réim sa bhFiacail
Do chífeadh i gclúid go rúnda ag plé
Fir Chríost aduaidh is lucht I.R.A.
I gcúirt mheán lae, i leataobh ón dlí,
Ag scrúdú géarchéim Éireann arís.

Cén chomhairle chríonna ón draoi ina thaibhse
Chneasódh croíthe i dtír atá roinnte ?
Protastain is Pápairí gan aird ar Chríost acu
Ag marú a mbráithre is ag trácht a ngníomhartha,
Scrios is pléascadh is foiréigean gnáthach,
Cimí á gcéasadh agus éirleach páistí.

"Mo thrua bhur gcás agus fáil ar chúnamh,
Dúras im dhán é, fágaim fúibh é:
  Caithfidh an neart gan cheart seo stríocadh
  Is caithfidh an ceart ina cheart bheith suite."

COMHBHRÓN

CHEANNAÍOMAR deochanna dó
Is dúramar leis gur mhór
Againn an cor seo, ach fós
Go gcneasódh ó chiapadh.

Agus bhí lena linn sin
I gcroí gach aon duine againn
Iarlais á cur i gcill,
Iníon deich mbliana.

NOD DON NEAMHEOLACH

OSCAIL t'aigne,
    lig isteach . . .
Oscail do bhéal,
     labhair amach.

AG AN ZÚ

AN tíogar tréan ina réimse cúng
Ní mór liom dó
Gur ina pheata ag comhlucht peitril
A thuilleann a lón.

Seo comhlucht milseán a dhéanamh maíomh
As an mbéar bán
Bheith faoina gcoimirce chothaithe
Ó lá go lá.

An rón, an moncaí, an camall dronnach,
Aisteach gur dréacht
Poiblíochta i mbéal an phobail mhóir
An greim ina mbéal.

An file dá n-iarrfadh a chuid den saol
An dtabharfaí dó,
Mar a thugtar don phiongain mhothaolach é,
Don nathair, don leon ?

1616 A.D.

GAN tiarnas aige
Ach ar leaba lóistín
De charthanacht an Phápa
Géilleann don Bhás
Mar a ghéill ar a ghlúna
Do Mhountjoy ag Mellifont.

Tar éis a ghéillte
Is ea scaoil an rógaire leis
An nuacht ó Londain:
Éilís Tiúdar marbh
Le seachtain, gan d'oidhre
Uirthi ach an tAlbanach.

Cén rún atá á choinneáil air
Ag an rógaire Báis?
I bpluais na cuimhne
Feiceann sé i gcathair Londan
Oidhre Uí Néill ar scoil
I gcúirt na hógríona.

Thug cuairt a uncail
Seán an Díomais
Ar an mbanríon Éilís
Lán a gcambhéil
Do ghaigíní na cúirte úd
Is dá chomhscoláirí.

Lá níos faide anonn
Daoscarshlua Londan
Ag caitheamh clocha
Le Tyrone is Tyrconnell
Méirligh chloíte ó Éirinn
Ag triall ar King James.

Ghlac an Stíobhard diaganta
Go cineálta leo, chuir
Dráma darbh theideal
The Prince of Denmark
Á léiriú dóibh ag a chomplacht
Féin, *The King's Men.*

Labhair na taoisigh ó Éirinn
Leis an údar, fear dhá scór,
William Shakespeare, fear
A bhfuil rún an Bháis
Scaoilte leis, más fíor scéala,
Ó earrach na bliana seo.

B'ait leis siúd an Béarla
Bheith chomh cruinn galánta
Ag *my Lord Tyrone,*
B'aite fós leis
Tuiscint ghrinn Uí Néill
I gcaithréim *Hamlet.*

BEAN A DÚIRT

INIS bréag dom,
Fírinne ghlan ní hansa,
Measa fós an fhírinne shalach.

Folaigh rún orm,
Taitneamhaí do bhréagriocht
Ná an léirloime mháchaileach.

Deasaigh scéal dom,
A chríoch gur mhaireamar
Sona sásta as sin amach.

FINIS, B'FHÉIDIR

INA bhrothall antráthúil
A braitheadh ar dtús é,
Síneadh fada ar an samhradh:
Fáiltíodh roimhe.

Ar thránna thuaisceart Eorpa
Deineadh bolg le grian
I ndeireadh an fhómhair
Agus snámh i ndiaidh scoile.

Teacht Oíche Shamhna
Neartaigh ar an teocht,
Dhubhaigh fód glas na hÉireann
Faoi sholas gealaí.

Nuair nárbh fhéidir na cosáin
A fhuaradh leis an sáile
D'éirigh na ceannaithe
As sinn a bhréagadh
Le líon ár lá go Nollaig.

DOIRE NA FOLA

(Dé Domhnaigh, 26 Eanáir, 1972, chuir trúpaí Shasana
scaipeadh ar chruinniú Cearta Sibhialta i nDoire Cholm-
cille lena seanghléas impiriúil, forneart airm, gur mharaigh
triúr déag Éireannach ar an láthair sin. Chuir Rialtas
Shasana coimisiún ag fiosrú na heachtra sin, agus fuarthas
gurb amhlaidh a bhí na saighdiúirí á gcosaint féin nuair a
mharaigh siad na daoine úd. Do chomóradh bliana an áir sin
a scríobhadh an dán seo.)

A CHLANNA Gael, in Éirinn daoibh
Nó amuigh ar deoraíocht i dtíortha eile,
Cuimhníg' ar an ár d'imir amhais an Ghaill
Bliain is an lá seo i nDoire Cholmcille.

Doire chuanna cois Loch Feabhail,
Doire chaomhfhothain, samhail neimhe,
Mar ar chuir gas diaganta rítheaghlaigh Néill
Dúnáras faoi ghéillsine Rí na nUile.

Ó Dhoire na nAingeal go dtí Oileán Í
De ghéarghrá Chríost do ghluais an rínaomh,
Dáréag leis de chóimhthionól fíor
Ag fógairt an tsoiscéil don Ghalltreibh.

Domhnach na Fola seachtó is a dó
Do dhíol an Ghalltreibh an comhar le Gaelaibh:
Triúr déag go hOileán Í do sheol,
Triúr déag i gcrólinn i nDoire an éirligh.

An lóchrann a las Colm sa tír thall
Is a shoilsigh as sin ar thuaisceart Shacsan
D'fhill ina thóirse ainsrianta anall
Le gach naomhcheall in Éirinn a loisceadh.

Thar Sruth na Maoile, thar Muir Meann
Ghluais na foghlaithe go Críoch Fódhla
A ghabháil seilbhe le faobhar lann
Is ag buanú a mbonn le forneart.

Fógraíodh fán ar chreideamh Choilm
Is ar an bhfriotal inar cleacht sé éigse,
Feasta bhí Clanna Gael ina ndaoir,
Derbfine ríthe ag treabhadh na sléibhte.

D'athbhaist Gallaphoic an chathair cois Feabhail,
Londonderry — a Choilm, nár mhaise !
Ainm tabhartha, comhartha meabhail,
Gluais do chamsprot na leathchoise.

Seacht gcéad go leith de bhlianta léin
Luigh Éire shéimh faoi shoc an Ghalltoirc,
Gur roinnneadh le slaitín Breatnach í
Ina saorstát coillte, bréagstát Oráisteach.

Tír Chonaill saor, Tír Eoghain faoin bhráca,
Doire agus Gartán ar dhá thaobh,
Leathchéad bliain faoin gcrúb Oráisteach
Do Ghaeil nach gcáinfeadh a ndúchas féin.

Mo náire Gaeil mheata Leath Mhogha
Nár thug de chabhair ach caint gan éifeacht,
Ár n-oineach gur chuireamar i ngeall
Mar bhonn lena saorcheart a éileamh,

Siúd an chosmhuintir ag siúl na sráideanna
Le haird an domhain a tharraingt ar a mian:
Cearta sibhialta do gach saoránach,
Cothrom na Féinne de shliocht na bhFiann.

Lá Domhnaigh um dheireadh Eanáir
I nDoire is ea tharla gur chruinnigh an slua
Go síochánta ag éisteacht le hóráidí
'S gur labhair gránghunnaí Gallda go buach.

Aingeal ar gach duille i nDoire
Chonaic Colm Cille: Domhnach na Fola
Le trealamh concais ar meisce mire
Deamhain dubha do líon a n-ionaid.

Garsúin, óganaigh, aithreacha clainne,
Triúr anam déag a cuireadh den saol,
D'fháiltigh rompu i nDoire na bhFlaitheas
Ultaigh Í, Colm is a dháréag.

Le fianaise na n-amhas ba chiontach san ár sin
Léirigh Ardbhreitheamh Shasana de réir dlí
Gur *terrorists* iad siúd (rian luaidhe ar a lámha !)
A chuir dlús go dána leis an ionsaí.

Dá ligtí Colm éigeas a theacht i láthair
Mar a tháinig ag Mórdháil Drom Ceada,
Is e a ghreadfadh lucht éithigh faoi náire
Go dtí a n-áit féin lena gceird a chleachtadh.

Is é comhairle chríonna ár seoiníní sásta
Gan trácht ar na mairbh seo ná ar na cimí
Atá i mbraighdeanas de bhrí nárbh áil leo
Géilleadh don éagóir ná don aindlí.

Ní sinne Gaeil a chothaigh gráin,
Ní faltanas cine a rug Colm chucu sall
Ach grá Dé agus ceart do chách
Mar gur clann sinn uile d'Ardrí an domhain.

A Chlanna Gael, cuimhníg' go buan
Ar gach duine a d'fhulaing ar son a chine,
Agus cuimhnígí ar an ár a scaoileadh faoin slua
Bliain is an lá seo i nDoire Cholm Cille.

NÍ FIOS

AR chuiris aithne riamh
Ar an bpearsa atá laistigh díot ?
An eol duit an tú atá ionat ?
Nó an ionann é siúd agus
An fhéachaint, an siúl,
An chaint agus na geáitsí
A chuireann in iúl
Don saol mór
Tusa bheith ann ?

    Éist, fan, ná corraigh:
    B'fhéidir go gcloisfeá
    Tú féin go fóill.

Mura bhfeiceann tú sa scáthán
Cúl do chinn ná do thoirt,
Cá bhfuil léargas le fáil
Ar an strainséir dofheicthe
A bhfuil cónaí air
Faoi do easnachaí ?
É siúd atá i seilbh do choda,
Gan agatsa amuigh ach
Bruscar na déirce.

    Éist, fan, ná cogain:
    B'fhéidir go mblaisfeá
    Tú féin go fóill.

Ní bearna réidh é le gabháil,
Tá sceacha agus drischosáin
Idir tusa agus tú féin.
Cad as dod mhianta ?
An machnamh a dheinir,
Má dheinir,
An leis an tusa ceart é,
Nó an iarmhairt é
D'fhág púca éigin id mheabhair ?

    Éist, fan, ná freagair:
    B'fhéidir go dtuigfeá
    Tú féin go fóill.

CREIDEAMH

DÚSHLÁN fút, a Chruthaitheoir,
Cruthaighse gur beo duit féin;
An go n-éireoimís tusa as
A chruthaigh tusa ár n-éirim ?

Seo saoi i Rialtas Éireann,
Fear léannta más fíor a cháil,
Ag dearbhú dúinn nach féidir
Le héinne do fhios a fháil.

Más tú a labhair anallód
As tor ag dó san fhásach,
Do chomharthaí sóirt níor thugais
Ach gur tusa an Té atá ann.

An Fear a fuair céasadh is bás
As a rá gur aon bhur nglóire,
Dhiúltaigh comhartha ná cruthú
Do Ghiúdaigh ach scéal ar Iónas.

Cheartaigh is cháin an t-aspal
Nár ghlac ach le fianaise a shúl:
An té nár chreid gan chruthú
Cad is fiú a chreideamh siúd?

AR SAOIRE

AOIBHINN bheith i gCill Chaoi,
Fíorbhinn síneadh im aonar
I moch maidine samhraidh
Ar bhruach camlinne faochan.

Mheasfá nár mhair duine beo,
Tromshuan saoire fós ar chách,
Domsa an mhuir, an éanlaith,
Brothall gréine: mise Ádhamh.

Chugam thar carraigeacha anall
Pearsa eile, mall a triall.
Bean. *Éabha í ag teacht
Do mo mhealladh?* Aisling mhian.

Druideann fós im threo go righin
Cailleach chríon. *An Bás im Chomhair?*
Mála aici agus bior ina glaic
Do chruinniú ón chreag a stór.

Aoibhinn bheith i gCill Chaoi
Más ar saoire duit go sámh:
Leac a ghineann macnas ionam
Crua an chéim dá seanchnámh.

41

GLEANN DÁ LOCH

GO dtí an gleann seo
Tháinig Caoimhín naomh
Ag moladh Dé
San uaigneas.

Le dúil ina phóg
Lean an cailín é
Más fíor an scéal
Sa bhéaloideas.

Dar leis an naomh
Gur dheamhan an bhean
Ag teacht á mhealladh
Le binneas.

Do chaith sé uaidh
An aisling mheabhail
Is mhúch sa tonn
A díocas.

Tháinig chuige ansin
Deisceabail fir
A thóg dó mainistir
Sa chiúnas.

Le himeacht aimsire
Tháinig na sladairí,
Lochlannaigh, Sasanaigh,
Ag léirscrios.

Sa ghleann seo anois
Níl manach ná bráthair,
Aifreann ná fáil ar
Chiúnas.

Óstáin, busanna,
Radio láimhe,
Fothraigh cráite
Le dithneas.

Ní le faoistin
An scuaine sin thall
Ach MNÁ ag triall
Ar leithreas.

AN GLAS

Ingleic le hábhar dáin a bhíos
Gan gheit an áthais, smál ar fhís,
Ná creid gurbh áil liom fáil gan díol
Ina chreich ó mhná an Aird ealaíon.

Do chuala éamh neamhéigsiúil lámh liom
A mhúch an fhéith im éirim chráite,
Ca dtabharfadh glébhean spéire aird orm
Is cúnamh éilthe ag céile mhánla.

Tharraing a scéal óm néall anuas mé,
An glas gan éifeacht, thréig a fhiúntas;
An gadaí d'fhéachfadh téacht ar cuairt chugainn
A dhath idir é agus réabadh ár bpluaise.

Mo mhallacht raideas fairsing flúirseach
Ar theach, ar bhean, ar ealaín ghuaiseach,
Gur ghlac im ghlaic gan bhlaiseadh fuadair
An tslat a cheartódh geata na pluaise.

Casúr gur dhein dem chleite gnách,
Dom stiúir ní fheilfeadh feistiú na hAirc',
An scriú ag creimirt ar cheirt mo dháimh'
'S mo dhúil ina pleist gan bhreith go brách.

Mórtas ceirde im chléibh gan mhoill,
Na comharsain léid mo thréithe cruinn,
Más nósmhar féinig créatúr an phinn
Ní pleota é shéanfadh éigean an tsaoil.

Ar fhánaigh allta is ar amhais na hoíche
Sin slán mo chlann gan chabhair choigchríche,
Dom dhámh ní call guth fabhailbhean síthe
Mo ghrá ó bhronn orm fabhar a buíochais.

An Ceangal

An breac ar fáil sa linn is fánaí a shílfeá
Níor mheasas tráth go sníomhfainn dán as díomá,
As cleatar tairní is scríobhadh práis ar iarann
Seo glas ar dhán is fís im dháil gan díol as.

THOMAS JENNINGS

(a bhásaigh i mí Feabhra 1975)

DÚIRT máinlia an Chontae
ina chuid fianaise gairmiúla
go raibh dhá cheann de na méara
cogainte de chois chlé
Thomas Jennings, corpán,
ag na francaigh, ní foláir,
agus go raibh rian géarfhiacla
ar na lorga mar an gcéanna.

Ba mhaith leis aguisín
a chur leis an méid sin:
gurbh é a thuairim thomhaiste
de réir a chuid eolais
nárbh fhéidir gur mhothaigh
an té arbh leis na cosa
aon fháisc den chreimirt sin
iarbháis ar Thomas Jennings.

Ceithre bliana is trí scór
a breacadh síos mar aois dó
i gcuntas an Chróinéara,
ach go ndúirt Máinlia an Chontae
gur fhéach sé i bhfad níba shine:
ar éigean má bhí saill faoina chraiceann air
is ba róléir ar a loime
gur ghnáthbhéas leis gan ithe.

46

Mhaigh Ball den Chomhairle Chontae
nárbh annamh rabhadh uaidhsean
d'Údarás Bhord Sláinte na dúiche
an fear úd bheith i ndroch-chaoi:
bheadh fáilte is fiche anois aige
roimh fhiosrú a dhéanfadh cíoradh
féachaint conas nár deineadh rud ar
Bhall den Chomhairle Chontae.

Thug an giúiré a mbreith ansin
ar shéalú Thomas Jennings
de réir fhianaise na saoithe:
sa bhliain seo d'aois ár dTiarna
thángthas air ina bhothán
áit chúlráideach i Ros Comáin,
go nádúrtha a d'éag sé
má ba den ghorta féin é.

Le fiosracht a léigh sibhse
na línte seo féachaint
cérbh é Thomas Jennings
nó cén fáth a ndéanfainnse
feartlaoi a chumadh dó:
a bhearta ní heol domsa
ach de réir mar a léas féin iad
i scéal choiste an Chróinéara.

NAOMH

CONAS nach mbíonn naoimh le haithint againn
Ar na saolta deireanacha seo mar a bhídís anallód ?
Bhíodh naomh i ngach doire in Éirinn, tobar
Beannaithe i ngach baile, míorúiltí coitianta.

An é nach bhfuil an timpeallacht nua seo
Na telefíse is an chumhacht eithnigh oiriúnach
Do chothú na naofachta? Féach na sagairt féin
Á mealladh ag an saoltacht, ag an drúis chomónta.

An solas ar Sceilg Mhíchíl is treoirléas leictreach é
Do bháirc thráchtála ag treabhadh ó bhanc go banc,
Eitleáin in áit aingil ar Árainn na naomh,
Scigshiamsa graosta cois teallaigh in áit an Phaidrín.

Taibhríodh domsa go raibh naomh aitheanta agam
Tráth a bhronn cara liom mám airgid ina ghrá Dé
Ar na hainniseoirí martraithe, in áit a bhean
Is é féin á chaitheamh ar shaoire eile sa Spáinn.

Taibhríodh dósiúd gurbh é Dia i riocht cláirínigh
A bhí roimhe sa chathaoir rotha ag doras an tsiopa.
"Ní thig leo siúl," ar seisean, "conas is ceadaithe dúinne
Eitilt go dtí Valencia agus Éire le siúl againn ?"

Ach táim in amhras arís ó shocraigh a bhean chráite
Gur ghealt é (bhí sise in amhras go ceann tamaill
Gur le drabhlás a caitheadh an t-airgead) is gur fhág sí
Slán agus cead a chinn aige leis an naofacht
Nó an gealtachas, ceachtar acu, a chleachtadh.

OILITHREACHT

ANSEO a bhunaigh an Saoi
Dár slánú ar an *Murder Machine*
Scoil faoi choimirce Éanna,
Tobar beathuisce Éireann.

Anseo fornocht ina aisling
Áille na háille ag mealladh
A anama: rinne rogha
Chúchulainn, aghaidh ar namhaid.

Anseo ar dhoras atá dúnta
Go hoifigiúil (teach contúirteach)
Scríbhinn chomóraidh don Fool:
Up Leeds! Up Liverpool!

GLAOCH

AG ól piontaí a bhíomar
Is iad tuillte go tréan againn
Trí dhíospóireacht go diongbhálta
Mar ábhar clár siamsa
Daoibhse a mbíonn cluas oraibh
Do Radio Éireann.

Dóbair dom mo phionta
A dhoirteadh ar mo bhríste
Nuair a scaoil sé liom a rún:
Go raibh sé chomh tuirseach tinn
Den saol nach raibh ar a intinn
Ach é féin a mharú.

Ghlacas leis go réidhchúiseach
Dar liom. Bíodh agat, a dúras,
Ach seo duit uimhir mo ghutháin,
'S mura nglaonn tú orm chuig pionta
Do réamhthórraimh, ná labhair liom
Ar an taobh thall.

Bhain sin gáire geal as
Agus deora. B'fhacthas domsa
Go raibh a leas déanta.
D'fhágas slán aige go sásta
Is d'fhan seisean ag ól piontaí
Le cairde nua.

Trí lá ina dhiaidh sin
Nuair a d'inis alt mionchló dom
Go raibh an gnó déanta
Leagas lámh ar an nguthán
Is d'fhiafraigh den ghléas balbh
Ar ghlaoigh sé ?

DO BHEAN ANAITHNID

LUÍFINN leat le fonn, a bhean,
  Ní fear an fear nár mheallais,
Glór comhluadair ní clos dom
Ach focail nár ghabh eadrainn.

Ní léir ort an sonuachar tú,
Géag aontumha nó so-ghéilleach,
Cuma le leamhainchrith mo chroí
Faoi dhraíocht ag do rosc glégeal.

Ag Dia na fírinne atá fios
An faitíos roimh mo mhaslú
A shíneann ina dhíog romham
Dom' chosc ar aithne a shárú.

Dílseacht do mo shonuachar féin,
Teagasc géar an ghobadáin,
Tuileann go tobann sa díog:
Múchtar mian, a bhean thar mhná.

AN DORD FHIANN 1972

"An túisce do thuig an Fhiann, do bhí i bhfochair Fhinn i mBruidhin an Chaorthainn, cad é an feall ar iontaoibh do himreadh ortha, do leigeadar gártha troma truaighmhéileacha asta os ard, de dhruim an imshníomha agus an éadfhulaing 'na rabhadar.

' Scuiridh, a fhianna Éireann, ' arsa Fionn, ' agus ná déanaidh mná caointe dhíbh féin re hucht mhúr mbáis; acht gabhaidh meanma agus misneach chugaibh, agus seinnidh an Dórd Fhiann dúinn go cumhach ceoilbhinn mar oirfideadh roimh an mbás. '

Is annsoin do dhlúthadar a mbéal chun a chéile agus do sheinneadar an Dórd Fhiann d'Fhionn agus dóibh féin. "

SEO daoibh sláinte Chaol an Iarainn
Seán an Corc Ó Loinsigh,
Camánaí glic d'fhan ar an gclaí
Is nár shantaigh gairm an Taoisigh.
Tráth dhruid a réim chun deireadh ré
Shín Dia lámh chinniúnach,
Dhá bhuama a phléasc le mórmhistéir
Thug slán é go míorúilteach.

Saol fada is sláinte an Mháilligh bhoirb,
Smaichtín dian na tíre,
Ní géire an firéad ar thóir coinn
Ná é ag fiach mídhaoine.
A Chraobh Urú ag póirseáil thart
Ina gcluasa ar gach balla
Le scairt an choiligh, nós na nGiúdach,
Gabhaid a mbreac san eangach.

Líon an meadar don Dochtúir Paidí,
An lia leighis Cláiríneach,
Lá úd na Feise ba é ba threise
Ag cosaint Jack go nimhneach.
Ní thaibhreodh Biddy Earley faoi
'S é ag tabhairt Brussels sprouts don asal
Go ráineodh féin le casadh an tsaoil
Bheith ina Bhrussels Sprout ar gustal.

Seo crúiscín lán den seansteancán
Do Gerry groí gealgháireach,
Do neach faoin spéir ní shéanann sé
Cead cainte cóir Coileánach,
Ar fuaid na Fódla craolann sé
An soiscéal fíor jeaiceáilte:
Go maire sé go múchtar é
Ina fhear foist agus tele-sea-sea.

Líontar muga do Sheoirse Ó Colla,
Sparánaí grinn an Pháirtí,
Mórábhar séin nach Iúdás é
A dhíolfadh ar phingin a Mháistir;
Fadradharcach teann a chloigeann seang
Thug slán é trí gach spéirling,
Ní raibh sé sa bhád lá an mhí-ádha
Nuair a bádh Haughey agus Blaney.

Líon braon gan lionn do Mhac Giobúin
Ón *aqua vitae* ag staonadh,
Fíoruisce, is léir, a ólann sé
Le hurraim don Chroí ró-naofa.
An ní a théann an béal isteach
Amach poll eile tagann
(Dúirt Iosa linn) éistigh' mar sin
Le Washingtóin na gcarad.

Braon *Beaujolais* do Childers séimh,
An Gael is Gallda urlabhra,
Is é a mhúin don Chorc an tiún
A thuigfí thall i Sráid Downing.
Sú glan na n-úll d'Ó Fachtna Lú
Ar an nGaeilge ina bhean chaointe,
Agus cuaichín *gin* do Bhrian Ó Luin
Fear cam a dhéanamh díreach.

Líon an cupán don pheileadóir Seán
A bhraitheann an t-uisce faoi thalamh,
Agus bainne ramhar do Pháid Leathlobhair.
Ní Fiontán é, ar m'anam!
Ó Cróinín ceann na Féinne nua
Seo a shláinte agus Arm an tSaorstáit
A rug bua mór nuair a sciob chun siúil
An Poblachtánach tréithlag.

Seo Fine Gael faoi Liam Croimbéal
Ag damhsa Phlancstaí an Loingsigh,
Mac Fheorais mór na mucmhala crua
Faoi stiúir chrústálach an Bhrianaigh,
An Cairdinéal, an tUachtarán féin,
Mórmhangairí agus rachmasóirí
Ag dul i bpáirtíocht go Fianna Fáilteach
Leis an daonlathas a chur ina chónaí.

Gach neach nach n-ardaíonn sláinte an Pháirtí
Tréas is feall is dual dó,
Sagart, tuata, bean nó bráthair,
Subversives iad in aonchló.
Daonlathas Críostaí Gaelach fíor
Más é is mian libh choíche,
Fanaíg' sa tréad go múinte séimh
Agus leanaigí Jack an tAoire.

AN DARA PÁDRAIG

A Phádraig, dá dtiocfá athuair
Ar aspalacht go hInis Fáil,
Ba dhóigh leat nár thángaís riamh
Le Gaeil bhocht' a shábháil.

Ar fhód glas Shliabh Mis ó thuaidh
Dá seasfá do bhachall bán,
Ina chrann páise do thiontódh go luath
Is tusa crochta go táir.

Scrínteampaill Chríost is líonmhaire
Ná doirí Chroim led linn,
Ach leis an gcine dar ghuís ar an gCruach
Sóshaol, ní Soiscéal, is binn.

A Mhic Chalpruinn ós duitse a deonaíodh
Clanna Mhíleadh i bhfeighil,
Cad a bheir duit sinn a scaoileadh
Inár dtréad muc le haill?

ATHRÚ POIRT

CHUMAS-SA dán anocht
I dteanga bhinn mo shinsear,
Teanga a tugadh chugam
Thar bhearna ghallda blianta,
Teanga nach dtuigeann mo chomharsana
Mo mháthair ná mo mhuintir,
Ní lú ná mar a thuigeann
Na cairde tábhairne seo
A bhfuil faoiseamh agam á lorg
Ina gcomhluadar, cé gurb ionann
Sinsear dúinn uile, domsa,
Dóibh siúd, don dán.
Cad is fiú
An dán seo
I dteanga bhinn mo shinsear?
Cad is dán
Don dán seo
A chumas-sa
Anocht?

IDIR DHÁ SHABÓID

An Brollach.

An Clabhsúr.

AN BROLLACH

A chara i gCríost is a chomhGhaeil
Atá ar tí an saothar seo a bhlaiseadh
Is léir duit nach liomsa an scéal
Is go bhfuil a fhios ag Dia nárbh fhéidir maise
Le healaín daonna a dhéanamh ar an léireachtradh
A chuir an Spiorad faoi réir
A inste ag Eoin, Marcas, Lúcas agus Matha.

Ní leomhfainnse labhairt ar ábhar chomh beannaithe
'S gan ionam ach bard bocht peacach
Ach gur bhraitheas an gríosadh im anam ó ghuthanna
Nárbh fhéidir a eiteach,
Dord an dúchais agus mallacht
Na héigse, cogairín an Spioraid i meon an rannaire
Bhoicht: Iarraimis a bheannacht:

I TEACHT AN RÍ

LEATHANN scéal
Ó bhéal go béal

Déantar slua
De dhuine ar dhuine

Gintear aonghuth
As macalla guthanna.

Nuair a chualathas i gcathair Ierúsailéim
Go raibh sé siúd ag teacht, an Fáidh óg
A raibh sé ráite faoi gur leigheas sé an lobhar,
Thug radharc don dall — *tá bean anseo a deir*
Go raibh fear gaoil léi féin i measc an tslua
I mBetáine an lá cheana nuair a thóg sé
Lasaras ón uaigh — cruinníodh chuige ar luas
Ag fáiltiú roimhe. B'fhacthas do shlua na Féile
Go mbeadh sé le maíomh acu ar feadh a saoil
Go raibh siad ann ar theacht don Slánaitheoir,
Don Mheisias a bhí le Iosrael a shaoradh.

Chugaibh an Críost,
Mac Dáibhí, Mac Dé

Hósanna sna hardaibh
Is beannaithe an té

Atá ag teacht
In ainm an Tiarna.

Impire na Róimhe ag filleadh go caithréimeach
Ar chroílár a chumhachta gluaiseann go mórtasach
I gcarbad ríoga le mórshiúl féinne,
Cuireann cimí iasachta faoi bhráca na hainnise
Lena fhógairt gurb é atá ina uachtarán
Ar chiníocha an domhain.
                              Ní mar sin do Chríost
Ar a theacht dó anois faoi dhéin na glóire:
Seo chugaibh é ar muin an asailín
Faoi ghártha leanbh, is gurb é a shlógadh
An dornán tuatach is gnách á leanacht,
Gan d'airm acu ach craobhacha pailme.

Hósanna, hósanna, hósanna sna hardaibh!
Is beannaithe an Té atá ag teacht
In ainm an Tiarna!

Chugainn an Críost,
Chugainn Mac Dáibhí,
Chugainn an Té
A bhí le teacht.

Gintear aonghuth
As macalla guthanna.

Déantar slua
De dhuine ar dhuine.

Leathann scéal
Ó bhéal go béal.

D'ÉIST an Gobharnóir Pontius Píoláit
Le tuairisc ar theacht úd an Fháidh
Ón taoiseach céad a bhí ar an láthair.
" Cúis gháire chugainn! Bhfuil tú ag rá liom
Gur ar muin asailín a tháinig
Rí seo na nGiúdach? Ní hábhar
Imní é an corrfháinleog
Ag an rí-iolar Rómhánach! "

B'fhacthas don ardsagart Cáiafas
Nach raibh sa teacht úd ach cleas.
"Ag cur púicín orainn le beart
Baoth — ach cá bhfuil an fear
A deirtear a thóg sé ó na mairbh?
Tá an pobal ina bhroscharn
Ar leor splanc chuige; an t-asal
Féin dhéanfaidís Meisias as! "

I dteach Nicodémus, ball den Chomhairle,
A chuir Lasaras faoi. Chruinnigh Iósaef
Is uaisle eile ann; b'eol dóibh
Gur thug na lianna leighis a móidí
Gurbh fhíor nár éirigh lena n-eolaíocht
Lasaras a choinneáil beo. Cén t-eolas
A thug sé anall? Níorbh eol dó
Ach gur chuala glór Dé ag fógairt.

Thug Iúdás nod do Mhuire Mháthair
Gur ghá an ruaig a chur ar na mná sin
A rabhthas á lua le hainm an Mháistir.
" D'fhéadfadh na sagairt bheith i mbun ráflaí
Nár mhaise." B'ait leis an dáréag
Nár leag sé an Teampall is a ardú
I dtrí lá. " Cinnte d'fháilteodh
An tImpire roimh rí chomh láidir!"

In uaigneas a croí istigh
Chuimhnigh an Mháthair
Ar an lá a thug sí féin
Agus Iósaef siúinéir
An naí beag
Chun an Teampaill.

III DÁIL CHOMHAIRLE

B'FHEARR, a deir an tArdsagart Cáiafas,
Is deimhin linn gurbh fhearr
An fear bás a fháil
ná an cine ar fad dá bhá
faoi dhíbheirg na Rómhánach.

Ach fan, a deir Nicodémus,
Níor cúisíodh riamh é,
Agus ní ligeann ár gcóras dlí dúinn
Duine ar bith a dhíchur
Gan é a thabhairt chun trialach.

Triailfear é, a deir an tArdsagart Cáiafas,
Le ceart agus le cruinneas:
Sinne clann na fírinne
Dar dual creideamh an tsinsir
A chosaint ar mhidhaoine.

Ní foláir, a deir Nicodémus,
Greim a fháil ar dtús air.
Theip oraibh gach uair eile.
Agus tá de mheas ag an slua air
Nach ligfear sibh dá ionsaí.

An babhta seo, a deir an tArdshagart Cáiafas,
Ní theipfidh. Tráth seo na Féile
Is ea a fheicfear go bhfuil brí is éifeacht
Le híobairt an Uain. Ní féidir
Gan toil an Tiarna a dhéanamh.

IV LÁ LE IÚDÁS

SEO Céadaoin an Bhraith, an lá a réitigh sé
Go ndíolfadh ar thríocha bonn Críost Mac Dé.

Is fíor gur le comhartha grá a rinne an feall,
Gur phóg a Mháistir á chur in aithne do na hamhais.

Ach ina dhiaidh sin is uile féach nár shéan sé
An aithne sin, ná gur dheisceabal le Críost é.

Trí huaire a shéan Peadar Mór a Mháistir
Le mionnaí móra: rinne an coileach féin gáire.

Theith gach mac eile dá bhuíon grámhar,
Ach d'fhill Iúdás bocht bradach go dána.

D'admhaigh sé a pheaca os comhair na sagart,
Shín chucu ar ais gach pingin dá mhargadh.

Cad chuige an t-airgead, a Iúdáis, a bhráthair,
'S gan pingin caite agat de ar ól ná ar mhnáibh ?

D'iarr sé ar na húdaráis Íosa a shaoradh
Mar gur neamhurchóidí é ná an t-uainín caorach.

Scaoil sé a mboinn mhallaithe chucu ar fud an urláir
Agus dhaor é féin chun báis ar ghéag den chrann ard.

Dúirt Peadar Mór ar ball agus é ina phápa
Go ndeachaigh Iúdás go dtí áit nárbh fhearr dó.

Ní mór linn do Pheadar an faoiseamh dá choinsias,
Ach cén diabhal a d'fháilteodh roimh fhear cosanta
   Chríost ?

Luach saothair dlitear duit, a Iúdáis an mhisnigh,
Agus lánchúiteamh déanta agat cér gan faoistin inste.

Ní foláir nó thit braoinín d'fhuil an Uain mhánla
Ó Chnoc Calvaire anall ar chamchrann do pháise.

Tá iliomad áras i dteach ár n-aonathar,
Cén fáth nach mbeadh clúidín teolaí ag Iúdás ann ?

A Iúdáis, a bhráthair, guím suaimhneas síoraí agat,
San áit nach bhfuil cathú ná airgead le ríomhadh.

Ní gá a rá leatsa go bhfuilimidne i ngátar
Do phaidreacha le sinn a choinneáil dílis dár Mháistir.

Ní Peadar an chumhachta ná Pól na saorbhriathar
Ach tusa a mhúinfidh dúinn fíorluach an tsaoil seo.

V CORP CHRÍOST

TAR éis dó goile na mílte a shásamh
  Le cúpla bulóigín is dhá iasc, gheall Íosa
Gurbh é a chorp féin a bheadh ina ábhar
Lóin ag a aos grá; d'ainneoin fianaise
A súl, réitigh lucht loighice a ráiteas
Dá slat tomhais féin is thug a ndroim leis.

Níorbh aon mhiorúilt é ach Dia bheith ann
A bheith ann dá nochtadh dúinn sa síol
Nó sa bhláth nó i nduilliúr na gcrann,
Ná go léireodh Dia i riocht dá aistí
Nó dá choitianta, in aon áit ná ag am
Ar bith le Dia féin inar mhian.

Mura mbeadh go fíor san abhlann bhán
Seo i lámha an tsagairt ach uisce is plúr
Ach gur creideadh a mhalairt ón oíche inar dháil
Críost ar a dheisceabail é ar dtús,
Is gur chreid na milliúin é i ngach aird
Le dhá mhíle bliain, nárbh shin miorúilt ?

Conas a ghlac Giúdaigh dhiaganta in Ierúsailéim,
Gréagaigh i gCathair na hAithne, nó Rómhánaigh
Loighiciúla na Róimhe le miorúilt ar iontaoibh ?
Ghéill cine Gael do bhéaloideas iarsclábhaí
A d'fhill orthu ag éileamh go dtabharfaidís
Cúl lena ndéithe is go n-íosfaidís an tArd-Rí.

Do dhá láimh, a Chríost, anall tharainn
Ón seomra inar ghlacais chugat ón mbord
Arán agus fíon le go leanfá sa riocht sin
Ár dtabhairt slán trí ghleann seo na ndeor.
Corp Chríost beo ina lón anama againn
Déanann diaganta ár bhfuil is ár bhfeoil.

VI AN CRANN

1. AN BÁS

NUAIR a tháinig an bheatha ann
   Tháinig an bás in aon fheacht:
Bású is ea beatha bheith ann.

Tugann gach neach a sheal,
Gach lus is bláth, gach ainmhí,
Déanann gaineamh den chreag.

Fillfidh gach bheith ar neamhní,
Déanfaidh gal soip den sliabh,
An ghrian gheal is na réaltaí

Rachaidh astu: céard is ciall
Le beatha bhásmhar a theacht
As neamhní más é a rian

Dul as ar ais in aon fheacht ?

2. AN BHEATHA

Ní beo d'aon ní ar domhan
Ach ar bheith nithe eile,
Creimeann na míolta an crann.

Trí ráithe sa bhroinn ceilte
A thugas-sa tús mo shaoil
Ag ithe chun mo bhreithe

Ar fhuil is ar fheoil mo mháthar.
Ólann an crann an ghrian
Agus canann lon air go sásta

Tar éis dá ghéarghob srian
A chur le taisteal ceilte
Na cruimhe: céard is ciall

Le bheith beo ar neacha eile ?

3. AN MARÚ

THÁINIG an duine chun aithne
  Na beatha seo, d'aithin an bás,
D'fhoghlaim le craiceann a ghearradh.

Chuir éirim ag múnlú ábhair
Le gléasanna cliste a dhearadh
A mharódh an bhrúid — nó a bhráthair.

Cnámh spairne dá n-éireodh feasta
Ina cúis idir beirt, idir clanna,
Leáfaí i bhfuil te na beatha.

Daoine stuama féin, bhraitheadar
An t-olc, b'fhacthas gur ghá
Córas éirice a cheapadh

Mar a ndéanfaí píonós den bhás.

4. ÁIT AN CHLOIGINN

LE cumhacht dlí atá an cime seo
Ag fáil bháis ar an gcrois,
Le linn don bhreitheamh triail

A chur athuair ar a choinsias
As an neamhchiontach a dhaoradh.
Ionadaíocht ar an gcnoc seo

Ag gach ar mhair den chine daonna,
Sagairt, saighdiúirí, máithreacha,
Gadaithe, leanaí, gaolta,

Lucht creidimh agus lucht cáinte
Ar breathnú ar an gcéasadh céanna,
I gan fhios ag ól a sláinte

I bhfuil Mhac Dé seo chéasta,
Fástar chun na beatha síoraí
Ó bheatha bhásmhar an tsaoil seo

Múchtar olc is brón is bás
Faoi thálfhuil bheochrois Íosa.

VII DEIREADH DÓCHAIS

FEAR diamhair úd na míorúiltí,
  Fear ar mhó é, dar leo,
  Ná fear daonna, fear a dúirt
Gur ábhar rí é is go mbeidís siúd
Ina theannta nuair a gheobhadh sé
Seilbh ar a ríocht — shín siad
A chorp céasta faoi dheifir
I dtuama an Chomhairleora
Go dtí go dtiocfaidís
Chucu féin is go mbeartóidís
Ar cad ba thoil lena Mháthair
A dhéanamh leis an marbh.

  D'admhaigh siad dá chéile
Gur thréig siad é. Ach thugadar
Chun cuimhne a aithne féin,
Gan troid, gan fuil a dhoirteadh,
  Is gur mhaígh sé gur bhearna réidh leis
Dul saor dá mb'áil leis féin é.

Cás idir dhá chomhairle dóibh
Filleadh ar a mbailte dúchais
Le fonóid a ngaolta a fhulaingt
Nó dul ag iarraidh pardúin
Ar an Ardsagart, agus cur fúthu
Go humhal dá ligfí sin dóibh
Ag cóip chorrthónach Ierúsailéim.

Ceachtar acu, ní scarfadh go brách leo
Cuimhne ar thárchrois a chéasta,
Ar rian na lasc, poill tairní,
Caidhp bháis na spíonta á choróiniú
Ina rí bréige. Go lá a mbáis
Chloisfidís tuairt trom na cloiche
Dá cur le béal an tuama.

VIII AN TUAMA BEO

1

CRÍOST Mac Dé tar éis a bháis
Níor shealbhaigh áit dá sheilbh féin,
Fuair bheith istigh dá chaomhchorpán
Mar a fuair cliabhán sa mhainséar.

Cuireadh cloch le béal na huagha
Agus garda saighdiúirí os a cionn
Lena dheimhniú nach dtiocfadh á fhuadach
Na créatúir bhrúite a thréig é ar dtús.

D'éirigh Críost is leath an scéal,
A shéanadh do chuir a bhrí i méid,
Saighdiúirí ólta ag scailéathan
In aghaidh thuama folamh an ghlambhéil.

Bhréagnaigh Tomás a bhráithre go dúr,
Fianaise a shúl a shásódh é,
Dhiúltaigh do chuireadh Chríost go luath
Nuair d'aithin a Thiarna buach é féin.

Dhearbhaigh Saul, fairisíneach fíor,
Go gcuirfeadh críoch le tréidín Chríost,
Ó casadh Críost air féin sa tslí
Chraol sé an fhírinne le fuil a chroí.

2

D'ordaigh Fáró Mór na hÉigipte
A thuama féin a chur á chóiriú
Le go bhfeicfí tar éis éag dó
Ollchomhartha léir sin a mhórtais.

An uaimh ghreanta i mBrú na Bóinne
Ní heol anois cé a síneadh inti,
Cairn cloch ar chnocaibh Fódla
Cér dóibh is rún bodhar na gaoithe.

Cár fhág siad Caesar is é ina chorpán?
Cá bhfuil cnámha Alastair Mhóir?
Tuama Napoleon cé mór i bPáras
Níl ann ach ábhar don turasóir.

Scuainí oilithreach go foighneach
Ag druidim thar an Fhaiche Mhór
I gcathair Mhoscó, ait go bhfaighidís
Cúiteamh as radharc ar mharbhfheoil fhuar.

Tá beothuama Chríost i ngach sráidín
I ngach aird den domhan mór,
Críost Mac Dé ina bheatha ag fáiltiú
Sa ríocht inar bhris dá chlann ag bord.

Sabóid nua do chomóradh Chrann na Páise
Mar ar saoradh sinn trí fhuil an Uain mhánla,
Arán na beatha fuinte dúinn ag an Máistir,
Sin súil gach uagha le haiséirí an ghrásta.

AN CLABHSÚR

SIN agat scéal ar insint scéil
    Ar pháis an Tiarna Íosa,
An soiscéal a rug Pádraig chuig cine Gael
Is a scaip ár muintir i gcoigríocha.
Guímis Pádraig, Bríd agus Colm na mbua
Ár soiscéal a chosaint ar an sóshaol:
Paidir uaitse don rannaire trua,
A chara i gCríost is a chomhGhael.